Eustache perd son panache

À Jacob et Nicholas, et à tous les passionnés d'aventures
que je connais. — L.B.

À mon petit frère Jean-Mi, sa femme Cathy et leurs trois
magnifiques enfants : Fernanda, Fernando et Felipe.
Avec toute mon affection. — C.B.

Catalogage avant publication de Bibliothèque et Archives Canada

Bradford, Louise, 1966-
[Wade's wiggly antlers. Français]
Eustache perd son panache / Louise Bradford ; illustrations de Christine Battuz ; texte français de Claude Cossette.

Traduction de : Wade's wiggly antlers.
ISBN 978-1-4431-5965-4 (couverture souple)

I. Battuz, Christine, illustrateur II. Cossette, Claude, traducteur
III. Titre. IV. Titre: Wade's wiggly antlers. Français.

PS8603.R3295W3414 2017   jC813'.6   C2016-905884-0

Édition publiée par les Éditions Scholastic, 604, rue King Ouest, Toronto (Ontario) M5V 1E1 avec la permission de Kids Can Press Ltd.

5 4 3 2 1   Imprimé en Malaisie CP130   17 18 19 20 21

Conception graphique de Julia Naimska.

Eustache perd son panache

Louise Bradford

Illustrations de
Christine Battuz

Texte français de
Claude Cossette

SCHOLASTIC

Un matin d'hiver, Eustache aperçoit son ombre sur la neige.

— Mes bois ressemblent à des trompettes! s'exclame-t-il. *Taratata!*

Ses amis se placent à la queue leu leu derrière lui. Ils se mettent à souffler dans des cors imaginaires et font semblant de taper sur des tambours.

Rataplan rataplan!

Tandis que la fanfare zigzague entre les arbres, Eustache a l'impression que ses bois bougent.

Ce n'est que le vent, se dit-il.

Un peu plus loin, il a l'impression qu'ils bougent encore.

C'est parce qu'on marche d'un pas lourd, pense-t-il.

Mais en rentrant à la maison, alors que le vent souffle à peine et qu'il marche d'un pas léger, voilà que ça recommence! Cette fois-ci, Eustache vérifie son panache. Ses bois ont commencé à se détacher!

Eustache se précipite chez lui pour les montrer à sa mère.

Il entre en trombe dans la maison et s'écrie :

— Maman, mes bois bougent!

La mère d'Eustache appuie délicatement sur chaque bois.

— Tu te rappelles notre discussion à propos de tes bois? lui demande-t-elle. Ne t'inquiète pas, ils vont tomber, mais d'autres vont pousser pendant l'été.

Eustache s'inquiète tout de même. Il a besoin de ses bois. Il s'en sert pour toutes sortes de choses...

Comme raquettes de ping-pong...

comme perchoirs pour transporter ses amis...

comme gants pour jouer
à la balle molle...

et comme crochets pour
faire voler des cerfs-volants!

Eustache décide qu'il va tout
faire pour garder ses bois.

Le lendemain matin, les bois d'Eustache bougent encore plus. Alors, au lieu de jouer au hockey, il s'assoit sur le banc et compte les points. Il ne veut pas risquer de perdre son panache.

Le jour suivant, Eustache se joint prudemment à ses amis qui sautent à la corde.

Mais la corde s'emmêle dans ses bois. Une fois dépêtré, il décide de simplement faire tourner la corde.

Le troisième jour, pendant que ses amis dansent, Eustache se tient à l'écart et bat doucement la mesure avec ses sabots.

Eustache commence à en avoir assez
de rester à l'écart. Le quatrième jour,
il ne quitte pas la maison.
La journée semble s'éterniser.

Ce soir-là, Eustache n'arrive pas à dormir. Il ne
cesse de penser à toutes les choses amusantes
qu'il manque. Il aimerait ne pas avoir à s'inquiéter
de son panache.

Puis Eustache comprend soudain que le temps
est venu de perdre ses bois!

Il se met à les secouer.

Il saute sur son lit.

Ensuite, il fait des sauts à écarts. Mais les bois d'Eustache restent bien en place.

Après tous ces efforts, Eustache a sommeil. *Je réessayerai demain,* se dit-il en se pelotonnant sous ses couvertures.

Au déjeuner, Eustache aperçoit ses amis qui gambadent dans les bois et tirent un toboggan. Eustache adore glisser en toboggan!

— Attendez-moi! hurle-t-il en oubliant complètement ses bois branlants.

Arrivés au sommet de la plus haute colline, Eustache et ses amis s'entassent sur le toboggan et s'élancent en bas.

Quelle descente cahoteuse!

En bas, tout le monde descend du toboggan, puis grimpe la pente de nouveau. Tout le monde sauf Eustache.

Il reste là, immobile. Il y a quelque chose de différent.

Il essaie de toucher son panache avec ses sabots, mais il a disparu!

Eustache cherche son ombre des yeux.

Je n'ai plus de panache, pense-t-il, un peu triste. *Mais ce ne sera pas pour bien longtemps,* se rappelle-t-il.

Eustache a hâte d'annoncer la nouvelle à sa mère. Il se sent tellement plus léger et plus libre.

Finalement, ce ne sera peut-être pas si mal, se dit-il en se précipitant à la maison.

La mère d'Eustache va chercher une belle boîte.
Dessus, elle écrit : *Le premier panache d'Eustache.*
   Pour célébrer ce grand jour, Eustache et sa maman
font des petits gâteaux à la mousse avec du glaçage à
l'érable et organisent une fête.
   Eustache et ses amis dansent avec entrain.

Pendant le reste de l'hiver et tout le printemps,
Eustache court plus vite et saute plus haut que jamais.
Il parcourt la forêt dans tous les sens et gagne la partie
de cache-cache pour la première fois de sa vie.

Ses bois ne lui manquent pas le moins du monde.

Puis, par un matin d'été, Eustache se gratte le dessus de la tête et sent deux bosses. Ses nouveaux bois ont commencé à pousser!

Au début, les bois d'Eustache ne ressemblent pas du tout à des bois. Ils ont plutôt l'air de petites pointes velues.

Puis, ils ressemblent à deux petites frondes...

et à deux portemanteaux.

Et enfin à l'automne,
taratata... ils ont l'air de
deux grandes trompettes!